CIP-BRASIL. CATALOGAÇÃO NA PUBLICAÇÃO
SINDICATO NACIONAL DOS EDITORES DE LIVROS, RJ

T913a
    Twain, Mark, 1835-1910
    As aventuras de Tom Sawyer / Mark Twain ; ilustração Guadalupe Tardia ; tradução
Fabio Teixeira. - 1. ed. - Barueri, SP : Ciranda Cultural, 2016.
    68 p. : il. ; 20 cm.

    Tradução de: Las aventuras de Tom Sawyer
    ISBN 9788538061052

    1. Ficção infantojuvenil americana. I. Tardia, Guadalupe. II. Teixeira, Fabio. III. Título.

16-32943

CDD: 028.5
CDU: 087.5

© SUSAETA EDICIONES, S.A.
Coordenadora Editorial: Maria Jesús Díaz
Adaptação e design: delicado diseño
Revisão do texto em inglês: Carole Patton
Layout: Lourdes González
Ilustrações: Francesc Ràfols

© 2016 desta edição:
Ciranda Cultural Editora e Distribuidora Ltda.
Tradução: Fabio Teixeira

1ª Edição
www.cirandacultural.com.br

Mark Twain

As aventuras de
Tom Sawyer

The adventures of Tom Sawyer

Ilustrações / Illustrations: Guadalupe Guardia

PERSONAGENS / CHARACTERS

Tom Sawyer / Tom Sawyer

Um menino órfão que mora com sua tia Polly e sempre faz travessuras. Tem um coração nobre e sabe ser leal a seus amigos. Com ele, tudo é uma aventura.

An orphan boy who lives with his Aunt Polly and who is always getting into mischief. He has a noble heart and knows how to be true to his friends. With him, everything is an adventure.

Tia Polly / Aunt Polly

Irmã da falecida mãe de Tom e responsável pela criação do garoto. Ela é sempre muito rígida e o castiga por tudo, mesmo pelas coisas que ele não fez.

Sister of Tom's late mother and responsible for bringing him up. She is always very strict with him and punishes him for everything, even for the things he hasn't done.

Huckleberry Finn / Huckleberry Finn

Melhor amigo de Tom, vive nas ruas, pois seu pai é alcoólatra e não há ninguém para cuidar dele. É um bom garoto e gosta de compartilhar aventuras.

Tom's great friend, who lives in the street, as his father is a drunkard and no one looks after him. He is a good boy and likes to join in adventures.

Becky Thatcher / Becky Tatcher

Colega de classe de Tom. Entre eles surgirá algo maior do que uma amizade. Ela também viverá aventuras com ele e amadurecerá a cada nova experiência.

She is a classmate of Tom's and between them something more than friendship develops. She will also share adventures with him and grow with each new experience.

Injun Joe / Injun Joe

Ladrão mau, capaz de qualquer coisa para defender seu estilo de vida e os objetos que rouba. É violento, traiçoeiro e vingativo, e nunca hesita em recorrer a mentiras ou ao crime.

A wicked thief, capable of anything to defend his lifestyle and the things he steals. He is violent, treacherous and vengeful, and never hesitates to resort to lies and crime.

Muff Potter / Muff Potter

Homem pobre que vive bêbado, mas que é generoso e ajuda as crianças do vilarejo. Envolve-se em uma trama que pode custar sua vida.

A poor man who is always drunk, but he is generous and helps the boys of the village. He has got involved in a fix which might cost him his life.

Joe Harper / Joe Harper

Amigo de Tom que também se sente incompreendido e mal--amado, pois apanha de sua mãe. Ele viverá uma grande aventura com Tom e Huck, que dará o que falar às pessoas.

Friend of Tom's who also feels misunderstood and lacking in affection, as his mother beats him. He will have a great adventure along with Tom and Huck which will make everyone think.

Sid / Sid

Irmão adotivo de Tom e o caçula da família. É muito mimado, e a tia Polly sempre o defende e lhe dá razão, mesmo quando Tom está certo.

Tom's stepbrother and the baby of the family. So he is very spoilt and Aunt Polly always sticks up for him and judges him to be in the right, even when it is Tom who really is.

Sumário / Index

Capítulo 1 / Chapter 1

Tom se apaixona
Tom falls in love

Ela chamou Tom três vezes, mas o menino não respondeu. Tia Polly procurou seu sobrinho pela casa toda. De repente, ouviu um ruído atrás dela e, ao se virar, viu o menino saindo da despensa.

– O que você está fazendo escondido aí?

– Nada, tia.

– Nada? Quantas vezes eu lhe disse para não mexer na geleia?

Tia Polly pegou uma vara para bater nele.

– Tia, tia, olhe atrás de você!

Assustada, ela se virou e Tom saiu correndo.

– Que menino! Nunca vou aprender – ela disse a si mesma.

– Sempre aprontando algo! Mas é

Three times she called Tom, but the boy didn't answer. Aunt Polly looked for her nephew all over the house. Suddenly she heard a slight noise behind her and on turning round, she saw the boy coming out of the larder.

"What are you doing hiding in there?"

"Nothing, Aunt."

"Nothing? How many times have I told you not to touch the jam?"

Aunt Polly picked up a stick to hit him with.

"Aunt, Aunt, look behind you!"

Startled, she turned round and Tom fled.

"Oh, what a boy! I'll never learn," she said to herself. "Always up to something! But

o filho da minha irmã falecida e devo ser rígida com ele.

O sábado amanheceu claro e feliz, ainda mais porque não havia aula, mas Tom estava de castigo. Tia Polly lhe havia mandado pintar uma cerca enorme. Tom começou a pintar com relutância, até que teve uma ideia: começou a mover o pincel alegremente enquanto assobiava, como se estivesse se divertindo.

– Posso pintar também?

he is my dead sister's son and I have to be strict with him."

Saturday dawned bright and happy, even more so because there was no school, but Tom was being punished. Aunt Polly had ordered him to paint an extremely long fence. Tom started painting with reluctance, until he had an idea: he began to move the brush merrily while he whistled, as if he was enjoying it.

"Can I do some painting?" asked his friend Ben, who was passing by.

– perguntou seu amigo Ben, que estava passando por ali.

– Se me der alguma coisa, posso deixar um pouco.

Ben lhe deu uma maçã, que Tom devorou. Logo chegaram mais voluntários, que não somente pintaram a cerca, como também lhe deram bolinhas de gude, uma pipa... E tia Polly ficou orgulhosa, acreditando que ele tinha feito o trabalho.

Assim, Tom descobriu que o trabalho é algo que a pessoa é obrigada a fazer, mas que também pode ser divertido.

"If you give me something, I'll let you, for a while."

Jim gave him an apple, which Tom ate greedily. Soon more volunteers arrived and they not only painted the fence, but they gave him marbles, a kite... And Aunt Polly was proud of him, believing that he had done the job.

In this way Tom discovered that work is something one is obliged to do, but which can also become a game.

À tarde, Tom saiu com seus amigos. Quando estava voltando para casa, ele viu em um jardim vizinho uma linda garota loira que não conhecia. Ele se apaixonou no mesmo instante, esquecendo-se completamente de Amy Lawrence, por quem acreditava estar loucamente apaixonado.

In the afternoon, Tom went out with his friends. When he was coming back home, in a neighbouring garden he saw a pretty fair-haired little girl whom he didn't know. He fell for her instantly, completely forgetting about Amy Lawrence, whom he had believed he was madly in love with.

Tom começou a dar piruetas para mostrar suas habilidades. Ela pareceu nem ligar, mas ao entrar em casa, jogou uma flor para Tom por cima da cerca. Tom foi embora feliz.

No jantar, enquanto tia Polly estava na cozinha, o pequeno

Tom started dancing pirouettes to show off his skills. She seemed to take no notice, but when she went into the house, she tossed him a flower over the fence. Tom went away happy.

During supper, while Aunt Polly was in the kitchen, little

Sid derrubou o açucareiro, que caiu e quebrou. Tom ficou contente, achando que seu irmão adotivo, sempre considerado como a criança perfeita, enfim seria castigado. Mas a tia Polly entrou e, sem perguntar, deu uma bofetada em Tom.

– Mas tia! Não fui eu! – Tom gritou.

– Que seja! – exclamou a tia Polly. – De qualquer forma não foi perdido. Você deve ter feito algo que não deveria enquanto eu não estava olhando.

Sid picked up the sugar bowl which he dropped and it broke. Tom was delighted, thinking that at last his stepbrother, always considered a perfect child, was going to be punished. But Aunt Polly came in, and without asking, boxed Tom's ears.

"But Aunt! It wasn't me!" he yelled.

"Heavens!" exclaimed Aunt Polly. "Well anyway it won't come amiss. You must have done something you shouldn't while I wasn't looking."

Na segunda-feira de manhã, Tom estava bastante triste no caminho para a escola, só de pensar na semana de aulas que estava por vir. Mas então encontrou Huckleberry Finn.

O pai de Huck era um bêbado, e ninguém cuidava do garoto. Ele morava na rua, usava roupas velhas e fazia o que queria. Todos os garotos o invejavam, e as mães lhes diziam para não brincarem com ele.

– Oi, Tom! Veja, tenho um gato morto – ele disse, mostrando-lhe um saco.

– E serve para quê, Huck?

– Para curar verrugas. Precisa ir ao cemitério à noite, depois que alguém muito mau foi enterrado. Quando o demônio vier para levá-lo, eu jogo o gato nele e digo: "Diabo, siga o cadáver; gato, siga o diabo; verruga, siga o gato". E não sobra nenhuma.

On Monday morning Tom felt very down on his way to school, just thinking that a whole week of class was in front of him. But he met Huckleberry Finn.

Huck's father was a drunkard, and no one looked after the boy; he lived in the street, he wore old clothes and did whatever he liked. All the boys envied him and all the mothers told their children not to play with him.

"Hullo Tom! Look, I've got a dead cat," he said, showing him a sack.

"And what's it for, Huck?"

"To cure warts. You have to go to the cemetery at night, after they've buried someone really bad. When the demon comes to take him away, I throw the cat at him and say 'Devil, follow the corpse; cat, follow the devil, wart, follow the cat,' and not one is left."

Tom também queria ver isso, e eles combinaram ir juntos ao cemitério. Por causa dessa conversa, Tom se atrasou para a escola.

– Thomas Sawyer, por que se atrasou? – perguntou o professor.

Tom ia inventar uma desculpa, quando então viu a menina loira sentada na primeira fileira das meninas, com um lugar vazio ao seu lado.

– Porque eu estava conversando com Huckleberry Finn – Tom respondeu.

O professor, muito zangado, deu-lhe algumas chicotadas e o fez sentar com as meninas, como Tom tinha previsto. E, obviamente, ele se sentou com a menina que lhe havia conquistado o coração.

Tom a divertiu com seus desenhos e descobriu que ela se chamava Becky Thatcher. Ele então escreveu na lousinha dela: "Eu te amo".

Tom wanted to see this too, and they agreed to go together to the cemetery. Because of this conversation, Tom was late for school.

"Thomas Sawyer, why have you arrived late?" the teacher asked.

Tom was going to make up an excuse when he saw the fair-haired girl sitting in the front row of the girls' desks, with an empty place at her side.

"Because I was talking to Huckleberry Finn," Tom answered.

The teacher, very cross, gave him a few strokes of the whip and then made him sit with the girls, as Tom had foreseen. And naturally, he sat with the one who had captured his heart.

Tom amused her by doing drawings and discovered that she was called Becky Thatcher. Then he wrote some words on her slate: 'I love you.'

Ao saírem da escola, Tom convenceu Becky a ser sua namorada dando-lhe um beijo.

– Agora você não pode amar a mais ninguém, e terá de se casar comigo – disse Tom. – E eu vou acompanhar você no caminho para a escola ou para casa.

– Que lindo! – ela disse. – Eu nunca ouvi nada assim.

– É muito divertido. Quando Amy Lawrence e eu...

Becky não gostou nada ao descobrir que ele já tinha tido uma namorada, e ficou furiosa.

When they came out of school, Tom persuaded Becky to be his girlfriend with a kiss.

"And now you can never love anybody but me, and you have to marry me," said Tom. "And I'll be with you whenever you go to school, or go home."

"How wonderful!," she said. "I never knew anything about that before."

"It's great fun. When Amy Lawrence and I..."

Becky was not at all pleased to find out that he had had another sweetheart and she got cross.

Capítulo 2 / Chapter 2

Crime no cemitério
Murder in the cemetery

Naquela noite, Tom esperou o sinal de Huck. Assim que ouviu seu amigo miar, ele saiu e os dois foram em direção ao cemitério. Eles quase não falaram, assombrados pelo caráter fúnebre do local e pela hora, pois era tarde da noite.

That night Tom waited for Huck's signal. As soon as he heard him meowing, he went out and they set off towards the cemetery. They scarcely spoke, oppressed by the solemnity of the place and the lateness of the hour.

Eles procuraram a sepultura mais recente e se esconderam atrás de duas árvores para esperar.

– Ouça! – disse Tom de repente.

Houve um ruído de vozes e uma luz se aproximou, cercada por alguns vultos.

They searched among the graves for the newest one and hid behind two nearby trees to wait.

"Listen!" said Tom suddenly.

There was the sound of voices and a light approached, surrounded by several figures.

Os meninos se encolheram juntos, tremendo, até que Huck sussurrou:

– São humanos; pelo menos um deles é. Essa é a voz de Muff Potter, mas ele não vai nos enxergar. Ele tem vista fraca e está sempre bêbado.

– E a outra voz é de Injun Joe, o ladrão. Eu acho que preferiria que fossem demônios – murmurou Tom.

Com aqueles dois havia outro homem, a quem identificaram como doutor Robinson.

The two boys huddled together, trembling, until Huck whispered:

"They're human, at least one of them is. That's Muff Potter's voice, but he won't see us; he has poor sight and he's always drunk."

"And the other voice is Injun Joe, the thief. I'd almost prefer it if they were devils," murmured Tom.

Along with these two came another man, whom they identified as Doctor Robinson.

– É aqui – disse o médico, apontando para a sepultura recente e sentando-se embaixo das árvores onde os garotos estavam se escondendo.

Injun Joe e Muff Potter começaram a cavar até alcançarem o caixão. Então, pegaram o corpo e o enrolaram em um cobertor.

"Here it is," said the doctor, pointing at the fresh grave and sitting down beneath the tree where the boys were hiding.

Injun Joe and Muff Potter started digging until they got to the coffin. Then they took the body out and wrapped it in a blanket.

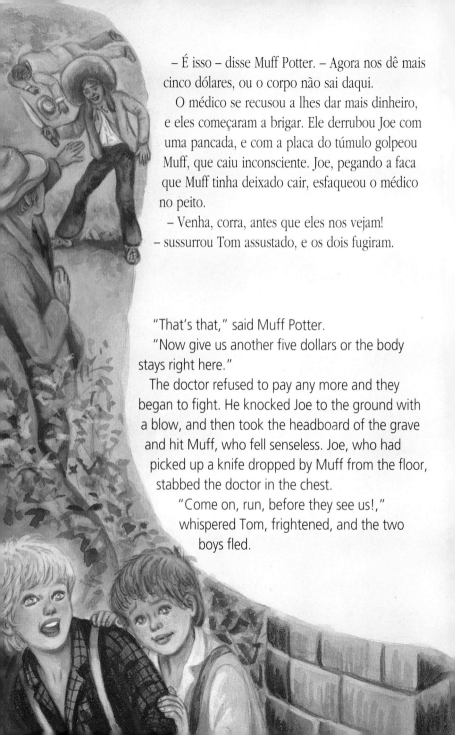

– É isso – disse Muff Potter. – Agora nos dê mais cinco dólares, ou o corpo não sai daqui.

O médico se recusou a lhes dar mais dinheiro, e eles começaram a brigar. Ele derrubou Joe com uma pancada, e com a placa do túmulo golpeou Muff, que caiu inconsciente. Joe, pegando a faca que Muff tinha deixado cair, esfaqueou o médico no peito.

– Venha, corra, antes que eles nos vejam! – sussurrou Tom assustado, e os dois fugiram.

"That's that," said Muff Potter.

"Now give us another five dollars or the body stays right here."

The doctor refused to pay any more and they began to fight. He knocked Joe to the ground with a blow, and then took the headboard of the grave and hit Muff, who fell senseless. Joe, who had picked up a knife dropped by Muff from the floor, stabbed the doctor in the chest.

"Come on, run, before they see us!," whispered Tom, frightened, and the two boys fled.

Muff, atordoado pela pancada, não tinha visto nada. Quando voltou a si, viu o médico sem vida. Joe o fez acreditar que foi ele quem o havia matado, mas prometeu não dizer nada, e o pobre Muff se lamentou por ser um bêbado triste e cruel.

Os garotos chegaram ao vilarejo, sem fôlego. Huck sabia que, se contassem alguma coisa para alguém, Joe os mataria.

Muff, stunned by the blow had not noticed anything. When he came to, he saw the lifeless body of the doctor. Joe got him to believe that it was he who had committed the bloody crime, but promised not to talk, and poor Muff bewailed being a miserable, cruel drunkard.

The two boys reached the village, breathless and panting. Huck knew that if they told anyone anything, Joe would kill them.

– Tem certeza de que não devemos falar, Huck? – perguntou Tom.

– Você não conhece Injun Joe. Ele é um assassino sem escrúpulos. Temos que jurar não dizer nada.

Tom e Huck furaram os dedos e selaram seu juramento com sangue.

A notícia se espalhou como fogo pelo vilarejo. Logo, todos souberam que o médico tinha sido

"Are you sure we shouldn't talk, Huck?" Tom asked.

"You don't know Injun Joe. He is an unscrupulous murderer. We have to swear not to say anything."

Tom and Huck pricked their fingers and sealed their oath with their blood.

The news ran through the village like wildfire. Soon, everyone in the village knew that the doctor had been

morto, e que alguém reconheceu a faca de Muff Potter.

Os habitantes do vilarejo foram à cena do crime, e entre eles estavam Tom e Huck. Muff Potter então apareceu no cemitério procurando por sua faca. Ele tentou correr quando viu tantas pessoas reunidas ali, mas uns homens o agarraram e o arrastaram até o corpo do médico.

murdered, and someone recognised Muff Potter's knife.

The villagers flocked to the scene of the crime and among them were Tom and Huck. Then Muff Potter appeared in the cemetery looking for his knife. He tried to run away when he saw so many people gathered there, but several men grabbed him and between them dragged him in front of the doctor's dead body.

– Não fui eu – disse Muff Potter gemendo. – Eu juro que não sou capaz de fazer uma coisa dessas.

E, ao ver Injun Joe no meio da gente, ele lhe disse:

– Joe, você prometeu que não diria nada...

Huck e Tom ficaram boquiabertos ao ouvirem Injun Joe culpar Muff Potter pela morte do médico, contando mentiras. Eles estavam quase quebrando seu juramento para salvar o pobre homem, que foi preso e levado dali, mas o medo predominou.

Por mais de uma semana, o terrível segredo que Tom estava guardando o fez ter pesadelos horríveis. Certa noite, Sid o ouviu falar enquanto dormia, e durante o dia Tom andava como um sonâmbulo. Ele não estava nem fazendo travessuras, e isso começou a preocupar sua tia.

Com o passar dos dias, os habitantes do vilarejo foram deixando de falar sobre o

"It wasn't me," groaned Muff Potter. "I swear to you that I am not capable of doing anything like this."

And, seeing Injun Joe among the people, he said to him:

"Joe, you promised me you wouldn't say anything..."

Huck and Tom stood there open-mouthed when they heard Injun Joe blame Muff Potter for the doctor's death, telling untruths. They were on the point of breaking their oath to save the poor man, who was put under arrest and taken away, but fear held sway.

For over a week the terrible secret which Tom was keeping gave him horrible nightmares. One night, Sid heard him talking in his sleep, and during the day he went about like a sleepwalker and didn't even get up to mischief, so for this reason his aunt began to worry.

As the days went by, people in the village began to stop talking about what had

ocorrido, mas Muff Potter ainda estava preso esperando seu julgamento, e Tom sempre lhe levava algo para comer.

Para completar, Becky adoeceu e não estava indo à escola.

happened, though Muff Potter was still in gaol awaiting his trial, so Tom would always take him something to eat.

On top of everything else, Becky was ill and did not go to

Quando finalmente ela apareceu na aula, Tom ficou radiante, mas sua alegria durou pouco, pois apesar de todas as piruetas que fez para ela, a garota não lhe deu nenhuma atenção.

Tom então decidiu. O mundo estava virando as costas para ele, e não havia nada a fazer senão fugir de casa.

school. At last she turned up in the class, and Tom was blissfully content, but his happiness was short-lived, for in spite of all the pirouettes he did for her, the girl took absolutely no notice.

Tom was resolved. The world was turning its back on him, and there was nothing else for it but to run away from home.

Um bando de piratas na ilha
A band of pirates on the island

Tom decidiu perambular pelo mundo. Ele se encontrou com seu amigo Joe Harper e contou-lhe seus planos. Joe quis acompanhá-lo, pois sua mãe tinha acabado de bater nele e ele se sentia desonrado. Joe queria ser eremita, mas Tom preferia uma vida de aventura como pirata, e Joe gostou dessa ideia.

Tom made up his mind to wander all over the world. He met his friend Joe Harper and he told him his plans. Joe wanted to go with him, for his mother had just beaten him and he felt disgraced. Joe would be a hermit, but Tom preferred a life of adventure as a pirate, and Joe liked this.

E quem seriam as vítimas de suas piratarias? Eles então procuraram Huckleberry Finn, que era especialista em tudo, e ele uniu-se ao seu bando de piratas.

Os três decidiram ir a uma ilha próxima, no Rio Mississippi. Era o lugar perfeito, pois era desabitada e coberta de densa floresta. Naquela mesma noite, eles se apossaram de uma pequena jangada, e com os mantimentos que tinham conseguido ajuntar, remaram rio abaixo até a ilha.

And who would be the victims of their piracy? They then sought out Huckleberry Finn, who was an expert in everything, and he joined their band of pirates.

The three decided to go to a nearby island in the Mississippi River. It was the perfect place, for it was uninhabited and covered in dense forest. That very night they got hold of a small raft, and with such provisions as they had been able to gather together, they rowed down river to the island.

Eles dormiram ao ar livre, sentindo-se verdadeiros aventureiros, e passaram o dia conversando, brincando e gritando, sem que ninguém lhes dissesse para ficarem quietos. Fizeram uma boa fogueira, fritaram bacon e comeram quase todo o pão de milho que haviam levado. Mas, quando a noite caiu, Joe e Tom não conseguiram dormir. Sentiram a consciência pesada por terem fugido de casa. Sabiam que suas famílias estariam preocupadas, procurando por eles.

They slept out in the open, feeling like true adventurers, and they spent the day chatting, playing and shouting, without anyone to tell them to be quiet. They built a good fire, fried bacon and ate almost all the corn bread they had with them. But when night came, Joe and Tom found it hard to get to sleep. They felt guilty for running away from home. They knew that their families, distressed, would be searching for them.

Na manhã seguinte, Tom acordou com o canto dos pássaros e depressa foi tomar banho de rio com seus amigos. Eles pouco se importaram quando descobriram que a corrente havia levado a jangada.

Depois de se banharem, Tom pegou três peixes, e eles os cozinharam e comeram com o bacon. Parecia o melhor café da manhã que já tinham tomado. Eles passaram a tarde explorando a ilha, e então voltaram ao seu acampamento um tanto entediados e com saudades de casa, embora nenhum deles admitisse isso.

The next morning Tom woke to the sound of the birdsong and quickly ran with his friends to the river to bathe. It mattered little to them to find that the current had taken the raft away.

After bathing, Tom caught three fish and they baked them and ate them with the bacon. It tasted like the best breakfast they had ever had. They spent the afternoon exploring the island and then returned to their camp a little bored and somewhat homesick, though none of them would have admitted it.

Foi quando ouviram vozes a distância e, olhando por entre os arbustos, avistaram no rio um navio a vapor cheio de pessoas, seguido por alguns botes.

– O que está acontecendo? – perguntou Joe.

– Alguém deve ter se afogado – disse Huck.

– Nós que somos os afogados! – exclamou Tom. – Estão procurando por nós.

Eles se sentiram como heróis, pensando no que estariam falando no vilarejo sobre seu sumiço.

Then they heard voices in the distance, and peering out through the bushes, they saw a steamboat full of people on the river, followed by several skiffs.

"What's going on?" asked Joe.

"Probably someone's drowned," said Huck.

"We're the ones who are drowned!" Tom exclaimed. "They're looking for us."

They felt like heroes, thinking of what they would be saying in the village about their disappearance.

Quando a noite caiu, Joe e Huck foram dormir, mas Tom continuou acordado. Por fim, ele escreveu uma mensagem em dois pedaços de casca de árvore, colocou um em seu bolso e outro no chapéu de Joe e partiu. Apesar da forte corrente, Tom conseguiu nadar até a margem, e logo estava no vilarejo. Ele foi a sua casa e pela janela viu sua tia, Sid e a mãe de Joe Harper na sala de jantar. Tom entrou silenciosamente na casa e se escondeu.

– Meu sobrinho não era um mau menino,

At nightfall, Joe and Huck went to sleep, but Tom continued awake. Finally he wrote something on two pieces of bark, put one in his pocket, left the other inside Joe's cap, and left. Despite the strong current, Tom managed to swim to the shore, and soon afterwards reached the village. He went to his house and through a window saw his aunt, Sid and Joe Harper's mother in the dining room. Tom entered the house silently and hid.

"My nephew wasn't a bad boy, just mischievous and

era apenas travesso e brincalhão – ele ouviu sua tia falar. – Nunca fez nenhum mal e tinha um bom coração... – e irrompeu em prantos.

playful," he heard his aunt say. "He never did any harm and had a big heart… " and she burst into tears.

– Digo o mesmo do meu Joe – acrescentou a senhora Harper. – Ele era travesso e aprontava, mas era um bom menino.

Ela também começou a chorar.

Todos então choraram, incluindo Tom, que estava começando acreditar que era um bom menino.

"The same with my Joe," added Mrs. Harper, "he was naughty and he got up to mischief, but he was a good boy."

And she, too, started crying.

They were all crying, including Tom, who was now beginning to believe that he was a good boy.

Ele compreendeu que os tinham dado por afogados quando encontraram a jangada abandonada e que fariam seus funerais no domingo.

He understood that they had been given up for drowned when they found the abandoned raft and that they would hold their funerals on Sunday.

Na ilha, quando acordaram, Huck e Joe leram a mensagem de Tom, na qual ele dizia que se não voltasse até o café da manhã, deveriam esquecer-se dele e ficar com seu tesouro.

Mas pouco depois Tom apareceu e lhes contou sua aventura. Naquele dia, eles fizeram um banquete com ovos de tartaruga, nadaram e brincaram até se cansarem.

On the island, when they got up, Huck and Joe read Tom's message, in which he told them that if he hadn't returned by breakfast time, they were to forget him and keep his treasure.

But soon afterwards Tom appeared and told them his adventure. That day they had a banquet of turtles' eggs, swam and played till they were tired out.

De repente, Joe disse que iria voltar para casa. Tom tentou convencê-lo do contrário, mas Huck ficou do lado de Joe.

– Tom, este lugar é muito solitário.

Para fazê-los ficar, Tom teve de contar-lhes sobre o plano que tinha para domingo. E, impressionados por sua genialidade, eles concordaram.

Suddenly, Joe said that he was going home. Tom tried to talk him out of it, but Huck took his side.

"Tom, this place is very lonely."

To get them to stay, Tom had to tell them about the plan he had for Sunday. And, delighted with its brilliance, they agreed.

Os piratas voltam para casa
The pirates return home

No domingo, todos no vilarejo foram ao funeral dos três garotos desaparecidos.

De repente, no meio do sermão, Tom, Joe e Huck apareceram no corredor central da igreja, queimados de sol e vestidos com trapos.

On Sunday in the village, everyone went to the funeral of the three missing boys. Suddenly, in the midst of the minister's sermon, Tom, Joe and Huck walked up the centre aisle of the church, sunburned and dressed in rags.

Tom ganhou mais beijos de sua tia naquele dia do que tinha ganhado o ano inteiro. Ele até fez a tia Polly beijar Huck, que estava sozinho em um canto, pois ninguém estava se alegrando com seu retorno.

Na escola, houve uma enorme comoção por Tom e Joe, que se tornaram heróis da noite para o dia. Ao narrar suas aventuras, Tom estava radiante de alegria, e decidiu que não precisava mais de Becky.

Tom got more kisses from his aunt that day than he had had in the whole year. He even got Aunt Polly to kiss Huck, as he was alone in a corner and no one was rejoicing at his return.

At school, everyone made a tremendous fuss of Tom and Joe, who had become heroes overnight. Recounting his adventures, Tom was overflowing with happiness and he decided that he no longer needed Becky.

Ela estava tentando chamar sua atenção correndo perto dele e dando-lhe olhadinhas, mas Tom estava com Amy Lawrence, fazendo ciúmes para ela. Apesar disso, ele ficou surpreso quando viu Becky sentada ao lado de Alfred Temple, vendo um livro com as cabeças juntinhas.

Tom ficou furioso e abandonou Amy. Sem demora, Becky fez o mesmo com Alfred, que percebeu que estava sendo usado pela garota e jurou se vingar. Ele entrou na sala de

She was trying to attract his attention by running about nearby and giving him little looks, but Tom was with Amy Lawrence, trying to make her jealous. However, he got a surprise when he saw Becky sitting next to Alfred Temple, looking at a book with their heads close together.

Furious, Tom abandoned Amy. Becky wasted no time in doing the same to Alfred, and he, realising how the little girl had made use of him, vowed revenge. He went into the

aula, pegou o livro de gramática de Tom e manchou toda a lição do dia seguinte com tinta. Becky viu aquilo, e seu primeiro impulso foi contar para Tom, mas seu orgulho ferido não a permitiu.

classroom, picked up Tom's grammar book and smudged the whole of the next day's lesson with ink. Becky saw him, and her first impulse was to tell Tom, but her wounded pride did not permit her to.

Tom chegou em casa irritado, só para encontrar sua tia nervosa com ele por tê-la feito se preocupar tanto, em vez de dizer onde estava.

– Eu ia contar, tia, e ia trazer uma mensagem para tranquilizá-la, mas quando fiquei sabendo do funeral, foi uma tentação – desculpou-se Tom.

Tom arrived home in a very bad temper, only to find his aunt was cross with him for having worried her so much, not letting her know where he was.

"I was going to do it, Aunt, and was going to bring a message to reassure you, but when I heard about the funeral it was a temptation," apologised Tom.

Tia Polly teve pena e o perdoou, mesmo não acreditando nele. Foi quando se emocionou ao encontrar no bolso de seu sobrinho um pedaço de casca de árvore com a seguinte mensagem: "Não estamos mortos. Só estamos brincando de piratas".

Aunt Polly, moved, forgave him even though she didn't quite believe it. So she was very excited when in her nephew's pocket she found a strip of bark on which it said 'We aren't dead, we are only playing at pirates.'

Naquela tarde, Becky foi a primeira a chegar à sala de aula, e começou a folhear um livro de anatomia que o professor guardava na gaveta.

De repente, ela ouviu alguém entrar e, na pressa para guardar o livro, rasgou uma página. Era Tom, que viu o que acontecera. A garota saiu da sala chorando, temendo o castigo do professor.

Tom foi chicoteado por seu livro manchado, mas o professor ficou irado mesmo ao abrir seu livro de anatomia e encontrar a página rasgada.

That afternoon Becky got to the classroom first, and she began to thumb through a book on anatomy which the teacher kept in a drawer. Suddenly, she heard someone come in, and in her haste to put the book away, tore a page. It was Tom, who had seen what had happened. The little girl went out, crying, and fearful of the teacher's punishment.

Tom got a whipping for his ink-stained book, but the teacher got really angry when he opened his anatomy book and saw the torn page.

No mesmo instante, ele começou a interrogar os alunos, um por um, para encontrar o culpado. Tom não conseguia tirar os olhos de Becky, que estava pálida.

– Fui eu! – por fim disse Tom.

O professor lhe deu uma boa sova e o castigou deixando-o duas horas a mais na escola. Mas Tom não se importou, pois viu o olhar de gratidão e admiração no rosto de Becky, e tinha certeza de que ela iria esperar por ele.

Assim aconteceu, e a garota lhe contou que viu o que Albert fizera ao seu livro. Tom jurou se vingar, mas estava vivendo momentos doces demais para estragar pensando naquilo. Naquela noite, ele adormeceu com as palavras de Becky ainda ressoando em seus ouvidos: "Como você pode ser tão nobre e tão bom?".

He immediately began to interrogate the pupils, one by one, to discover the culprit, Tom couldn't take his eyes off Becky, who was pale.

"It was me!" said Tom, finally.

The teacher gave him a good thrashing and punished him further by keeping him in school for an extra two hours. But Tom didn't mind, because he had seen the look of gratitude and admiration on Becky's face, and was sure that she would be waiting for him.

And so she was, and the little girl confessed that she had seen what Alfred had done to his book. Tom vowed revenge, but he was enjoying moments that were far too sweet to spoil by thinking about that. That night he fell asleep with Becky's words still lingering in his ear: 'How could you be so noble and so good?'

Capítulo 5 / Chapter 5

O dia do julgamento
The day of trial

Oano letivo por fim terminou, mas as férias de verão começaram sem muitos atrativos para Tom, já que Becky tinha viajado.

A vida tranquila do vilarejo mudou com a notícia de que iria começar o julgamento pelo assassinato do doutor Robinson. Ninguém falava de outra coisa,

The school year at last came to an end, yet the vacation began without many prospects for Tom, as Becky had gone away for the summer.

The uneventful life of the village now underwent a change with the news that the trial for the murder of Dr. Robinson was going to commence. No one spoke of anything else, and everybody assumed that Muff Potter would be found guilty.

e todos achavam que Muff Potter seria condenado.

Tom se encontrou com Huck.

– Tenho pena de Potter – disse Huck. – Ele me ajudava às vezes. Uma vez ele até me deu comida,

Tom got together with Huck.

"I feel sorry for Potter," said Huck. "He used to help me sometimes. Once he even gave me something to eat, although he didn't have much himself.

mesmo tendo pouco para si mesmo. Ele bebia muito, mas era um bom homem.

– Ele costumava consertar meus anzóis – acrescentou Tom. – Ah! Quem dera pudéssemos livrá-lo dessa situação!

– Nem pense nisso, Tom! Não podemos falar nada. E de qualquer forma, ouvi dizer que o linchariam se ele fosse liberado.

He drank a lot, but he was a good man."

"He used to mend my fish hooks for me," added Tom. "Ah! I wish we could get him out of that situation!"

"Don't even think about it, Tom! We mustn't speak. And anyway I've heard a rumour that if he were set free, they'd lynch him".

Eles foram à cadeia, e pelas grades deram tabaco ao prisioneiro. Muff Potter estava mais triste do que nunca, pois sabia o que o esperava.

– Garotos, vocês são muito bondosos comigo. Eu ensinava os meninos do vilarejo a pescar e empinar pipa, mas agora ninguém se lembra de mim. Só me restaram dois amigos, que são vocês.

They went to the gaol, and through the bars, they passed tobacco in to the prisoner. Muff Potter was sadder than ever because he knew what was awaiting him.

"Boys, you are very good to me. I used to teach the village boys to fish and to fly kites, but now nobody remembers me. I have only two friends left and that's you two."

That night, Tom once more

Naquela noite, Tom novamente teve pesadelos terríveis, e nos dias que se seguiram, perambulou próximo ao tribunal onde ocorria o julgamento, mas não ousou entrar. Todos que saíam diziam a mesma coisa: era evidente que o acusado era culpado.

Por fim chegou o dia do veredicto. O vilarejo inteiro compareceu, e o tribunal ficou superlotado.

had terrible nightmares, and during the following days, he hung around near the court-room where the trial was taking place, without daring to go inside. Everyone who came out said the same thing: it was clear that the accused was guilty.

At last the day of the verdict arrived. The whole village had gone along, and the court-house was full to overflowing.

Witness after witness was

As testemunhas depunham sem que o advogado de defesa mostrasse o menor interesse em questioná-las. O público, embora acreditasse que o réu era culpado, indignou-se por ele não cumprir seu dever de defender o acusado. O advogado de defesa então falou:

– Sua excelência, membros do júri, solicito a absolvição do acusado, pois ele não cometeu o assassinato. Convoque Tom Sawyer!

Todos os olhos se voltaram para Tom, que se sentou na

called without the defence counsel showing the least interest in questioning them. The public following the trial were aggrieved for he was not fulfilling his duty to defend the accused, even though they believed him guilty. Then the defence lawyer spoke:

"Your honor, members of the jury, I request acquittal for the accused, as he did not commit the murder. Call Tom Sawyer!"

All eyes were on Tom, as he sat down in the witness chair, pale and trembling. Tom started to speak fearfully,

cadeira das testemunhas, pálido
e tremendo. Tom começou a falar
com medo, mas aos poucos foi
ganhando confiança. Ele contou
tudo, menos o fato de que Huck
estava com ele naquela noite.
A sala prestava atenção a tudo
o que ele falava, quando disse:

– Vi Muff Potter caindo no chão.
Então Injun Joe pegou sua faca e
golpeou o médico...

Injun Joe não esperou, e fugiu
pulando pela janela do tribunal.

but little by little he gained
confidence. He told everything,
except for the fact that Huck
had been with him that night.
The courtroom was hanging on
his every word when he said,

"I saw Muff Potter fall to the
ground. Then Injun Joe took his
knife from him and stabbed the
doctor…"

Injun Joe did not wait and
with one bound escaped
through the courthouse
window.

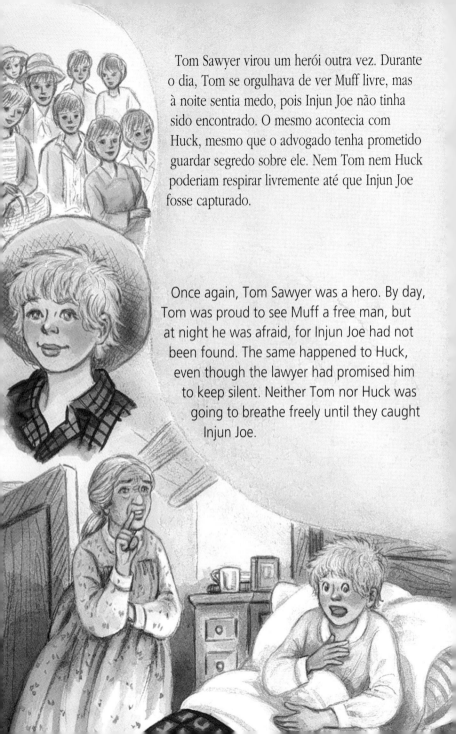

Tom Sawyer virou um herói outra vez. Durante o dia, Tom se orgulhava de ver Muff livre, mas à noite sentia medo, pois Injun Joe não tinha sido encontrado. O mesmo acontecia com Huck, mesmo que o advogado tenha prometido guardar segredo sobre ele. Nem Tom nem Huck poderiam respirar livremente até que Injun Joe fosse capturado.

Once again, Tom Sawyer was a hero. By day, Tom was proud to see Muff a free man, but at night he was afraid, for Injun Joe had not been found. The same happened to Huck, even though the lawyer had promised him to keep silent. Neither Tom nor Huck was going to breathe freely until they caught Injun Joe.

Capítulo 6 / Chapter 6

Em busca do tesouro
In search of the treasure

Passando o verão sem Becky, Tom decidiu ocupar sua mente procurando por um tesouro escondido. Certa noite, ele foi com seu amigo Huck à casa assombrada, uma velha mansão em ruínas, afastada do vilarejo.

During the summer without Becky, Tom decided to occupy his time searching for hidden treasure. So one night he went with his friend Huck to the haunted house, an old ruined manison, some way out of the village.

Huck não gostava muito da ideía de ir àquela casa, pois disse que havia fantasmas ali. Os dois deixaram a picareta e a pá ao lado da lareira e subiram cuidadosamente a escadaria para vasculhar o piso de cima.

Eles então ouviram vozes e, com muito medo, se deitaram no chão. Abaixo, entraram dois homens: um mexicano e o fugitivo Injun Joe.

– Vamos enterrar o dinheiro antes de nos separarmos – disse Joe, abrindo o assoalho com uma faca. – Tenho algo a resolver e depois nos reuniremos novamente para terminar o trabalho.

Foi quando sua faca golpeou um baú cheio de moedas de ouro.

Huck didn't much like the idea of going to that house because he said there were ghosts there. They left the pick and the spade by the fireplace and carefully went up the ruined staircase to look around the upper floor.

They then heard voices, and, full of fear, stretched out on the floor. Down below entered two men, a Mexican and the slippery Injun Joe.

"We'll bury the money before we separate," said Joe, forcing the floorboards open with a knife. "I've got something to sort out and then I'll rejoin you to finish that job off."

But then his knife struck a chest which was full of gold

Rapidamente, enterraram-no com a pá e a picareta que estavam na sala.

– São milhares de dólares! – disse Joe.

– Sim. Agora não precisamos mais concluir aquele trabalho!

– Não é só questão de dinheiro. Temos de acertar as contas – disse Injun Joe. – Vou me vingar pelo que fizeram. Agora, não podemos perder tempo. Vamos esconder o tesouro em outro lugar. O dono dessas ferramentas não deve estar longe.

Por fim, os homens se foram com sua valiosa carga. Aliviados, coins. Impatiently, they dug it out with the spade and pick which were in the room.

"There are thousands of dollars!" said Joe.

"Yes. Now we don't need to do that job!"

"It's not just a question of getting money, there's also settling accounts," said Injun Joe. "I shall have vengeance for what they have done. Now, let's not waste any time, and let's hide the loot somewhere else. The owner of these tools cannot be far away."

At last the two men went away with their valuable

Tom e Huck pularam para o piso de baixo e voltaram ao vilarejo, preocupados. De quem ele queria se vingar? Será que era deles? Onde esconderiam o tesouro?

No vilarejo, Tom recebeu uma boa notícia: Becky tinha voltado. O assunto de Injun Joe e o tesouro já não era mais de seu interesse. Becky também gostou muito de ver Tom.

load. Relieved, Tom and Huck jumped down to the floor below and returned, worried, to the village. On whom did Joe want to have revenge? On them? Where would they hide the treasure?

Back in the village, Tom received some good news: Becky had come back. The affair of Injun Joe and the treasure lost its interest for him. Becky was also very pleased to see Tom.

A caverna infernal
The cave of hell

No dia seguinte, Tom, Becky e outras crianças do vilarejo foram fazer uma excursão que tinham planejado antes do verão.

O barco a vapor levou os viajantes rio abaixo. Quando chegaram à montanha, eles brincaram e correram, e depois do almoço um deles teve a ideia de ver a caverna que havia ali.

The following day, Tom, Becky and some other boys and girls from the village went off for a day out they had planned before the summer.

The steamboat took the trippers downriver. Once they reached the mountain, they played, jumped around and after lunch, one of them had the idea of going to see the cave that was there.

Antes de entrarem na caverna, eles se agasalharam e acenderam velas, pois lá dentro era frio e escuro.

A caverna era uma abertura natural na rocha, e diziam que uma pessoa poderia andar por dias por suas passagens sem encontrar a saída. Sabendo disso, os viajantes corriam e brincavam de pegar, dando risadas. Eles estavam se divertindo tanto que nem viram a hora passar. Quando voltaram ao barco, este já os estava esperando havia bastante tempo. Eles subiram a bordo e iniciaram a viagem de volta.

Before entering the cave they wrapped up well and carried lit candles, for it was cold and dark inside.

The cave was a natural opening in the rock, and it was said that one could wander through its passages for days and days without finding the way out. Aware of this, the trippers ran, and chased one another, laughing. They were enjoying themselves so much that they didn't realise how late it was getting. When they got back to the boat, it had been waiting for them a long time. They went on board and started back home.

Naquele dia, Huck tentou encontrar o local onde Injun Joe tinha escondido o tesouro. Ele viu dois homens suspeitos saindo de um beco, e os seguiu pela floresta até pararem diante da casa que pertencia à viúva Douglas.

– Maldição! – ele ouviu Injun Joe dizer. – Ela deve ter visitas. As luzes estão acesas, mas não vou embora sem me vingar. O marido dela foi o juiz que me condenou por ser vadio e fez com que eu fosse açoitado. Ele já morreu, mas ela pagará por tudo.

That day, Huck tried to find out where Injun Joe had hidden the treasure. He saw two suspicious-looking men coming out of an alleyway, and he followed them through the wood until they stopped outside the house belonging to widow Douglas.

"Damnation!" he heard Injun Joe say. "Perhaps she's got visitors. There are lights on, but I am not leaving without taking my revenge. Her husband was the judge who convicted me of being a tramp and had me whipped. He's now dead, but she will pay for everything."

Huck não tinha dúvidas de que eles iriam machucar a viúva, e correu até a casa mais próxima para avisar alguém.

Os homens da casa foram ajudar a viúva, mas Huck ouviu tiros e saiu correndo, assustado. Mais tarde, ele descobriu que Joe e o outro homem tinha fugido.

No vilarejo, todos estavam preocupados com Tom e Becky, que não tinham voltado da excursão. Ninguém se lembrava de quando eles tinham sido vistos pela última vez.

Huck was in no doubt that they were going to harm the widow, and he ran to the nearest house to tell someone.

The menfolk of the house went to help the widow, but Huck heard shots and ran away, afraid. Later he found out that Joe and the other man had escaped.

In the village, everyone was worried because Tom and Becky had not returned from the day trip. No one remembered when they had been seen for the last time.

Eles imediatamente organizaram uma busca na floresta e na caverna. Três dias se passaram, e a esperança de encontrá-los com vida estava diminuindo.

They immediately organised a search in the wood and in the cave. Three days passed, and hope of finding them alive was fading.

Huck não sabia nada do que tinha acontecido, pois estava na casa da viúva Douglas. Ele tinha ficado doente com toda aquela emoção, e ela estava cuidando dele.

O que aconteceu com Tom e Becky foi o seguinte: depois de brincarem de esconder com as crianças, eles entraram em uma passagem. Então encontraram uma cachoeira e, sedentos de aventuras, seguiram adiante.

Huck did not know anything of what had happened. He was at the house of widow Douglas, who was looking after him as he had fallen ill with all the excitement.

What had happened to Tom and Becky was that, after playing hide and seek with everyone else, they had gone off down a passageway. They had found a waterfall, and, keen for adventures, they had gone onward. Then, they ran away

Depois, eles correram de alguns morcegos e, quando quiseram voltar, não encontraram a saída.

– Tom, estamos perdidos! Nunca sairemos daqui! – chorou Becky.

Ao ver sua preocupação, Tom sentiu medo pela primeira vez, e abraçou-a para tentar consolá-la. Eles caminharam até ficarem esgotados.

Beberam água de uma fonte e comeram um pedaço de bolo que Tom encontrara em seu bolso.

– Devemos ficar aqui, Becky. Pelo menos há água. Não se preocupe. Virão procurar por nós e nos acharão.

Logo sua última vela se apagou, e uma total escuridão os encobriu. Tom decidiu sair para explorar. Ele amarrou em uma pedra a ponta da linha que usava para empinar pipa e, sem soltá-la, caminharam pelas passagens.

Após certo tempo, eles viram uma luz. Estavam prestes a gritar de alegria quando Tom

from some bats, and when they wanted to return, they couldn't find their way back.

"Tom, we're lost! We'll never get out of here!" wailed Becky.

Seeing her distress, Tom was frightened himself for the first time, and he put his arm round her and tried to comfort her. They walked on until they were exhausted.

They drank water from a spring and ate a piece of cake which Tom found in his pocket.

"We ought to stay here, Becky. At least there is water. Don't worry. They'll be looking for us, and they'll find us."

Soon their last candle went out, and utter darkness surrounded them. Tom decided to go on exploring. He tied the end of a ball of string, the ones he used for kites, to a rock, and without letting go of it, they walked along the passageways.

After a while they saw a light. They were just going to shout with joy when Tom

reconheceu Injun Joe! Eles então voltaram à fonte.

O vilarejo inteiro estava lamentando a morte das crianças. Mas, à meia-noite, os sinos da igreja anunciaram seu regresso.

Tom, quase sem forças, disse--lhes que tinha amarrado a linha e atravessado muitas passagens até finalmente encontrar a saída que dava para o rio. Ali foram ajudados por alguns pescadores.

Tom e Becky ficaram de repouso alguns dias, para se

recognised Injun Joe! so they returned to the spring.

The whole village was mourning the loss of the children. But at midnight the church bells announced their return.

Tom, almost without strength, told them how he had tied the string and walked along many passageways until he had found the exit that gave on to the river. Then they were helped by some fishermen.

recuperarem. Assim que se sentiu melhor, Tom foi procurar Huck, e no caminho passou na casa de Becky.

Lá, o juiz lhe disse que a entrada da caverna havia sido fechada para evitar que alguém se perdesse novamente.

Foi quando Tom disse que Injun Joe estava dentro da caverna. Ele acompanhou o juiz até lá e o encontraram morrendo de fome e sem ar próximo à entrada.

Tom and Becky were in bed for a few days, recovering. As soon as he felt better, Tom went to look for Huck, and on the way, he called at Becky's house.

Here he found out from the judge that they had closed the cave entrance so that nobody else would ever get lost.

Then Tom revealed that Injun Joe was inside the cave, and accompanied the judge there, but they found him starved to death and asphyxiated beside the entrance.

Quando voltou, Tom disse a Huck que suspeitava que o tesouro de Injun Joe estivesse na caverna, e o convenceu a irem juntos procurar.

Após uma breve busca, Tom encontrou uma fenda na rocha e, agachados, os dois rastejaram por ela até que encontraram o tesouro. Eles colocaram as moedas em dois sacos e voltaram ao vilarejo.

Tom e Huck pensaram em esconder o tesouro na casa da viúva Douglas. Mas tiveram uma surpresa ao chegar ali e ver que haviam preparado uma festa para Huck por ter salvado a vida da viúva. Ela se ofereceu para cuidar dele e educá-lo para que ele pudesse ganhar a vida.

– Huck não precisa disso. Ele é rico – disse Tom. – E eu também.

Então mostrou as moedas de ouro. Ninguém tinha visto tanto dinheiro antes.

When he returned, Tom told Huck about his suspicion that Injun Joe's treasure could be found in the cave, and convinced him that they should go and look for it.

After a brief search, Tom found a crack in a rock and, crouching down, they crawled through it until they found the treasure. They put the coins into two sacks and returned to the village.

Tom and Huck thought of hiding the treasure in widow Douglas's house. He got a surprise when he arrived there and there was a party for Huck for saving the widow's life. She offered to take care of him and bring him up to be able to make a living.

"Huck doesn't need that. He's rich," assured Tom. "And I am too."

And he showed the gold coins. Never before had anybody seen so much money together.

Alguns dias depois, Huck desapareceu. Ele não estava feliz com a viúva: tomar banho, pentear o cabelo, ir à escola... Era demais para ele. Tom conseguiu encontrá-lo.

– Agora que tenho dinheiro, não posso fazer o que fazia antes – disse Huck.

Mas Tom, astutamente, convenceu o amigo a voltar e formar uma gangue de ladrões, a "Gangue do Tom". Huck prometeu tentar.

Some days later, Huck disappeared. He wasn't happy with the widow: washing himself, combing his hair, going to school... it was all too much for him. Tom knew how to find him.

"Now that I have money, I can't do what I used to do before," said Huck.

But Tom, cleverly, persuaded him to come back and with him form a gang of thieves, "Tom's gang". Huck promised to try it.

Mark Twain

Pseudônimo pelo qual era conhecido o escritor americano Samuel Langhorne Clemens (1835-1910). Aos 12 anos, perdeu seu pai e teve que ir trabalhar em uma gráfica. Seu desejo de ser marinheiro em seguida o levou a trabalhar no Rio Mississippi em um grande barco a vapor. No ano de 1862, começou a trabalhar em um jornal e um ano depois passou a assinar seus artigos como Mark Twain. Em 1867, viajou pelo Mediterrâneo, Egito e Palestina, e ao retornar publicou um livro sobre essa viagem, que foi um sucesso de vendas. Ele visitou a Europa e morou por grandes períodos na Inglaterra. Em 1876, escreveu *As aventuras de Tom Sawyer*, uma história divertida sobre as travessuras desse garoto que, apesar de tanto tempo já passado, ainda é um dos livros favoritos de muitos jovens.

This was the pseudonym by which the US writer Samuel Langhorne Clemens (1835-1910) was known. At the age of twelve his father died and had to go to work at a printworks. His desire to be a sailor led him subsequently to work up and down the Mississippi on one of the great big steamboats. In 1862 he started to work at a newspaper and one year later would sign his articles as Mark Twain. In 1867 he travelled around the Mediterranean, Egypt and Palestine, and on his return he published a book about that trip which sold extremely successfully. He visited Europe and lived for long periods in England. In 1876 he wrote *The adventures of Tom Sawyer*, a most amusing novel about the pranks of this boy, which, in spite of all the time that has passed, is still one of the favourite books of many young people.

CONTEXTO HISTÓRICO

As memórias da infância e juventude de Mark Twain serviram de inspiração para a história de Tom Sawyer, que é ambientada em um pequeno vilarejo semelhante ao lugar onde ele viveu às margens do Rio Mississippi. Naquela época, ainda existia escravidão no estado de Missouri, e Mark Twain escrevera abertamente sobre esse assunto na continuação da história – *As Aventuras de Huckleberry Finn* (1884).

Embora *As Aventuras de Tom Sawyer* tenha estilo realista e o autor faça uso dos aspectos picarescos de personagens e situações, a história retrata o mundo idealizado da infância, cheio de ingenuidade, humor e ternura. Assim, os aspectos mais sociais da época são de certa forma colocados em segundo plano: Tom vive em uma família abastada que possui escravos, ao contrário do menino de rua Huck, que é livre, alheio à ordem social. O tratamento humanitário dos escravos na história contribui para a idealização da infância inocente, visto que foi necessária a Guerra Civil de 1861-1865 para abolir a escravidão. A ganância por dinheiro que vemos em Injun Joe lembra a febre do ouro na Califórnia em 1848, que foi a causa de muita delinquência.

HISTORICAL CONTEXT

His memories of boyhood and youth were Mark Twain's inspiration for his story about Tom Sawyer, which is set in a small village similar to his own on the shores of the Mississippi River. At that time slavery existed in the state of Missouri, and in fact Mark Twain was to write directly about this subject in the continuation of this novel - The Adventures of Huckleberry Finn (1884).

If The Adventures of Tom Sawyer has a realist style, and the author makes use of the picaresque aspects of characters and situations, it nonetheless depicts the idealised world of childhood, full of ingenuity, humour and tenderness. So the more social features of the time are to some degree relegated to the background: Tom lives in a comfortable slave-owning family, as opposed to the vagabond Huck who is a free spirit, outside the social order. The humane treatment of the slaves in the novel contributes to that idealisation of innocent childhood, as the Civil War of 1861-1865 was needed to abolish slavery. The greed for money which we see in Injun Joe recalls the gold fever in California in 1848, which was the cause of so much delinquency.